D0362623

Le dromadaire
au nez rouge

un conte de Noël avant Noël
et dans le désert

C'est toujours Noël au : www.soulieresediteur.com

Le dromadaire au nez rouge

un conte de Noël avant Noël et dans le désert

**Un texte de Katia Canciani
illustré par Leanne Franson**

SOULIÈRES
ÉDITEUR
www.soulieresediteur.com

case postale 36563 — 598, rue Victoria
Saint-Lambert (Québec) J4P 3S8

Soulières éditeur remercie le Conseil des Arts du Canada et la SODEC de l'aide accordée à son programme de publication et reconnaît l'aide financière du gouvernement du Canada par l'entremise du Fonds du livre du Canada (FLC) pour ses activités d'édition. Soulières éditeur bénéficie également du Programme de crédit d'impôt pour l'édition de livres – Gestion Sodec – du gouvernement du Québec.

Dépôt légal : 2014

Catalogage avant publication de Bibliothèque et Archives nationales du Québec et Bibliothèque et Archives Canada

Canciani, Katia
Le dromadaire au nez rouge

(Collection Ma petite vache a mal aux pattes ; 128)
Pour enfants de 7 ans et plus.

ISBN 978-2-89607-273-6

I. Franson, Leanne. II. Titre. III. Collection : Collection Ma petite vache a mal aux pattes ; 128.

PS8605.A57D76 2014   jC843'.6   C2014-940342-9
PS9605.A57D76 2014

Illustration de la couverture et illustrations intérieures :
Leanne Franson

Conception graphique de la couverture :
Annie Pencrec'h

À tous ceux et celles qui ont soutenu
l'aventure des *Plumes du Désert*.
Merci.

Chapitre 1

Ensablées !

Il n'y a pas si longtemps, je suis allée faire un rallye dans le désert du Sahara avec mon amie Annie. Cette course représentait un grand défi personnel. On devait, en camion 4x4, se rendre à un endroit différent chaque jour à l'aide d'un plan de route et d'une simple boussole. Le soir, on dormait dans un bivouac, c'est-à-dire dans un campement de tentes. Pendant huit jours, on a traversé le désert. C'était une aventure difficile. Les journées étaient longues et éreintantes. On devait franchir des oasis, des oueds[1], des étendues de roches. Sans doute ne le saviez-vous pas, mais les déserts de roches, ça existe ! J'ai ainsi traversé des déserts de roches pointues, de roches rondes, de roches carrées. Évidemment, il y a aussi des déserts de… sable. En fait, c'est dans un désert de sable que se déroule mon histoire.

C'était le premier jour de la course. Annie et moi, on s'est levées vers six heures du matin. Puis, on a déjeuné et préparé le camion. On

---

1. Oued : Cours d'eau, le plus souvent à sec.

a franchi la ligne de départ vers huit heures trente. Après une petite navigation à la boussole, on est arrivées au pied des dunes. Il n'y avait pas vraiment de piste. On a donc roulé sur le sable. Mais, à peine 30 minutes plus tard, on était déjà enlisées. Pris dans le sable, le 4x4 n'avançait plus d'un seul centimètre.

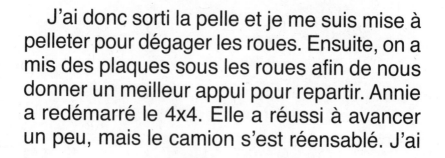

J'ai donc sorti la pelle et je me suis mise à pelleter pour dégager les roues. Ensuite, on a mis des plaques sous les roues afin de nous donner un meilleur appui pour repartir. Annie a redémarré le 4x4. Elle a réussi à avancer un peu, mais le camion s'est réensablé. J'ai

repelleté, remis les plaques. Mon amie a redémarré, avancé et le camion s'est réensablé. Une fois, deux fois, trois fois… huit fois
de suite. Pelleter. Placer les plaques sous les

roues. Pousser. On ne réussissait chaque fois
qu'à avancer un peu avant de se reprendre
de nouveau. Au bout de quatre heures, on
était épuisées. Le soleil était chaud, le sable

était chaud : on avait chaud ! Alors, on a décidé de prendre une pause. De toute façon,
on ne s'en sortirait pas toutes seules. Sous
le soleil, le sable était devenu de plus en plus
mou ! Le 4x4 calait de plus en plus. Bref, pas
le choix : il fallait attendre que quelqu'un de
l'organisation vienne à notre secours.

Annie a décidé de se reposer dans le camion. Moi, j'ai pris ma bouteille d'eau, mon
carnet et mon crayon, et j'ai marché un peu
afin d'aller m'installer plus
loin, tranquille.

Chapitre 2

Et encore du sable !

C'est alors que j'étais assise sur le sable des dunes que cette fabuleuse aventure a commencé. J'écrivais bien sagement dans mon carnet lorsque j'ai entendu du bruit. Un bruit assourdissant. On aurait dit un écrasement... d'avion !

J'ai levé le nez de ma page pour voir ce qui se passait. Il y avait du sable qui revolait partout. Quand le sable est retombé sur les dunes, j'ai aperçu la scène *la plus incroyable* que l'on puisse imaginer.

Devant moi, un traîneau venait de s'enliser dans le sable. Il était calé : du sable par-dessus les patins. Ce n'était pas un écrasement d'avion, c'était un écrasement de traîneau. Dans le désert !

Je pensais que j'avais la berlue. J'ai secoué la tête. J'ai cligné des yeux plusieurs fois. Je me suis pincé le bras. Le traîneau n'a pas disparu. J'ai pris mes effets, je me suis levée et je me suis approchée. Et c'est là que j'ai aperçu huit rennes. Huit rennes… comme… les huit rennes tirant le traîneau du… et c'est là que je l'ai aperçu : lui ! Lui, le seul et unique, le vrai, le… père Noël ! Le père Noël. Dans le désert du Sahara, au Maroc, en Afrique !

Je me suis gratté la tête. Je devais avoir eu trop de soleil sur la caboche ! J'étais dans le désert avec une amie en train de faire un rallye en 4x4. Je m'étais simplement éloignée pour prendre une pause et là, j'avais le père Noël, sa bande de rennes et son traîneau ensablé devant les yeux.

J'ai dit la première chose qui m'est passée par la tête :

— Euh... Père Noël ?

Il avait l'air embêté. Il se frottait la barbe. Il a marmonné :

— Mouais... Mmmmm... Mouais... Ça va mal.

— Euh, père Noël... auriez-vous besoin d'aide ?

— Katia !

J'ai trouvé ça drôle qu'il sache mon nom. Mais ce n'était pas surprenant non plus : plus jeune, je lui avais écrit de nombreuses lettres.

Il a poursuivi :

— Comme tu tombes bien ! Imagine-toi que nous avons été pris dans de terribles vents près du détroit de Gibraltar, puis dans une affreuse tempête de sable. Mes rennes étaient complètement épuisés. Ils ont atterri en catastrophe !

J'ai évalué la situation. Le traîneau était bien enlisé. Toute seule, il m'était impossible de le pousser. J'ai dit :

— D'abord, père Noël, je vais désensabler les patins. Vous auriez une pelle ?

Le père Noël a regardé sous son siège. Il a sorti sa pelle. En me la tendant, il a déclaré :

— D'habitude, elle me sert à pelleter de la neige…

On a ri. La situation était cocasse. J'ai répliqué :

— Ce qu'il y a de bien avec la neige, père

Noël, c'est qu'elle est moins lourde que le sable. Et qu'elle reste à sa place quand on la jette derrière soi.

J'avais passé des heures à désensabler notre 4x4, croyez-moi, je savais de quoi je parlais ! J'ai donc pelleté… encore une fois, pour faire changement.

Pendant ce temps, le père Noël s'est occupé de ses rennes. Je lui ai offert ma bouteille d'eau. Ce n'était pas beaucoup. Chaque goutte comptait !

Lorsque les patins ont été désensablés, on a invité les rennes à se relever. Ils étaient tous couchés sur le flanc. Ils souffraient beau-

coup de la chaleur sous leur fourrure épaisse.
Ils ont réussi à se mettre debout, mais l'un
d'eux semblait avoir mal à une patte.

C'est alors qu'un dromadaire sauvage
s'est approché mollement, tranquillement.
Il ne s'est même pas préoccupé de nous et
s'est dirigé droit vers Rudolf. Et Rudolf et lui se sont mis à… discuter.
On ne les comprenait pas. Mais

les rennes et le dromadaire, eux, semblaient très bien s'entendre.

J'ai chuchoté au père Noël :

— Vous savez ce qu'ils se racontent ?

Il a répondu :

— Non, j'ai réussi à apprendre toutes les langues des enfants de la Terre, mais pas le langage des animaux.

Wow ! Toutes les langues des enfants de la Terre, ça faisait déjà beaucoup !

Peu après, Rudolf a hoché la tête en signe d'acceptation. Tous les rennes ont repris leur place habituelle, sauf le renne qui boitait. Surprise ! C'est le dromadaire qui s'est placé à côté de Rudolf...

J'ai dit :

— C'est beau, l'entraide !

Le père Noël s'est assis dans le traîneau. Les rennes et le dromadaire ont tiré. Ils ont tiré le plus fort qu'ils ont pu. On les a encouragés. Ils ont tiré encore. Mais le traîneau n'a pas bougé.

— Mouais… Mmmm… Mouais… Je crois que je suis trop lourd, a grommelé le père Noël.

Chapitre 3

L'herbe à dromadaire

— *Salam alikoum*[2], a lancé un enfant derrière nous.

Il avait des yeux noirs pétillants. Il portait un short bleu, un t-shirt usé jusqu'à la corde et une paire de vieilles sandales aux lanières effilochées.

On a répondu en choeur :

---

2. « Que la paix soit avec vous ! », salutation d'usage au Maroc, à laquelle on répond : « Alikoum salam ».

— *Alikoum salam.*
— Je m'appelle Youssef.
Puis il ajouté en riant :
— Il vous faut de l'herbe à dromadaire.
De l'herbe à dromadaire ?
Youssef s'est dirigé vers un buisson.

— Cette herbe : il faut en arracher et la mettre sous les patins.

C'est ce qu'on a fait, le père Noël et moi. L'herbe était très dure, presque comme des épines de cactus. Elle nous piquait les mains.

Youssef nous a regardés faire. Il a commenté, satisfait :

— Bon, ça va. On va pouvoir essayer de se sortir de là.

L'herbe à dromadaire, c'était un peu comme des plaques de désensablage. Quelle bonne idée !

Le père Noël a toussoté et il a ajouté :

— Je suis trop lourd. Je devrais pousser au lieu d'être assis. Il faudrait quelqu'un pour piloter le traîneau à ma place.

— Tu veux y aller, toi ? ai-je demandé à l'enfant.

Le père Noël m'a regardée avec de gros yeux et il a dit :

— Non, il faut PILOTER le traîneau.

C'est vrai que je suis aussi pilote d'avion. Le père Noël devait le savoir. Je me suis donc retrouvée assise, seule dans le traîneau, alors que le père Noël poussait à l'arrière.

Youssef a encouragé les rennes et le dromadaire :

— ALLEZ-Y ! TIREZ !

Le père Noël s'est mis à pousser. Moi, j'ai tenu les guides pour diriger l'attelage. En moins de deux secondes, le traîneau s'est envolé. Le dromadaire aussi volait. Ce traîneau était vraiment magique !

J'avais le sourire fendu jusqu'aux oreilles. C'était vraiment génial de piloter un traîneau. Puis, j'ai tiré sur les guides afin que le traîneau s'incline. Et on est revenus atterrir tout en douceur sur le sable.

— Bravo ! a dit le père Noël. Tu as fait ça comme une professionnelle ! On est prêts à repartir.

— Vous allez où ? a demandé Youssef.

Moi aussi, je me demandais bien ce que le père Noël faisait dans le désert...

— Je suis en plein dans mes préparatifs de Noël. Je cherche le marchand de sable du Sahara. J'ai besoin de son sable magique pour endormir les enfants durant la nuit de Noël. Je devais le rejoindre au souk enchanté de Marrakech, mais on a eu l'accident avant d'y arriver.

Le souk est comme un centre commercial constitué de centaines de toutes petites boutiques tenues par des marchands.

— Le souk n'est pas très loin, a expliqué Youssef. Je peux vous y mener.

Le père Noël était content de cette offre. Alors qu'on se demandait ce qu'on allait faire avec le renne blessé, on a réalisé qu'il était déjà confortablement installé à l'arrière du traîneau.

C'était très drôle !

Youssef a pris place à côté de moi, tandis que le père Noël s'est assis sur le banc derrière nous.

— Attention à la caisse ! nous a-t-il précisé en pointant une grosse boîte en bois sur le plancher.

On ne savait pas ce qu'il y avait dedans. Sur la boîte, c'était juste écrit : ATTENTION. SUPER PRÉCIEUX.

Chapitre 4

Destination : LE SOUK

On s'est envolés. Moi, je pilotais. Youssef était à mes côtés et le renne dormait comme un chaton. Le père Noël, lui, profitait de la vue à l'arrière !

Cinq minutes plus tard, on apercevait la ville de Marrakech. Je me suis stationnée près du souk magique. Il a été facile à trouver. Une enseigne lumineuse, flottant dans le ciel, annonçait : Souk enchanté

Le père Noël commençait à avoir chaud. Il a laissé son manteau dans le traîneau, posé sur la caisse, afin de la dissimuler aux regards. On a mis les rennes et le dromadaire dans l'enclos à animaux où un gardien, moyennant quelques dirhams[3], allait veiller sur eux. Au moins, ils étaient à l'ombre. Et ils avaient de la nourriture et de l'eau. Mais, c'était bizarre de

---

3. Monnaie utilisée au Maroc. Un dollar canadien équivaut environ à 7 dirhams.

voir huit rennes en compagnie de centaines de dromadaires, d'ânes et de chevaux.

En marchant vers le souk, j'ai demandé au père Noël pourquoi il devait venir jusqu'ici pour voir le marchand de sable du Sahara. Il m'a répondu :

— Il y a des marchands de sable partout sur la planète. Partout où il y a des déserts, en fait : le désert de Gobi, le désert d'Atacama, le désert de Mojave, le désert australien… Mais, au fil des années, j'ai découvert que le sable du marchand de sable du Sahara était le meilleur.

J'ai hoché la tête, intéressée. Il a poursuivi :

— Aucun autre sable endormant n'est de plus belle qualité. Ce sable-là chatouille le nez des enfants juste un peu avant qu'ils ne plongent dans un sommeil heureux. Tu n'as pas idée de la qualité des autres sables qui sont sur le marché ! De la pacotille !

Youssef a confirmé :

— Oui, ma mère affirme la même chose. Elle passe au souk enchanté tous les samedis pour en acheter quelques grains. Je déteste le sable magique ! Il m'endort même quand j'ai le goût de rester éveillé.

On est donc entrés dans le souk. Ah ! Quel bazar ! Il y avait du monde partout ! Ça sentait les épices. On entendait les gens parler, des canaris chanter dans des cages, un musicien jouer de la flûte devant un serpent qui dansait… J'étais impressionnée. Le père Noël et Youssef semblaient habitués. Pas moi ! Je n'avais pas assez d'yeux pour tout voir. Les étals magiques côtoyaient les étals ordinaires. Retrouver le marchand de sable n'allait pas être évident !

On est passés devant l'étal des épices. Il y avait une centaine de montagnes d'épices de toutes les couleurs à vendre.

— Achetez mes épices, les meilleures épices. Des épices à couscous, des épices à tajine, des épices à merguez, de la muscade, de la cannelle… Achetez mes épices !

Mais on n'avait pas besoin d'épices. On a poursuivi notre chemin entre les étals. On est passés près du marchand de tapis.

— Achetez mes tapis, les meilleurs tapis. Les tapis volants sont en solde cette semaine. Mes tapis volants consomment très peu d'énergie et rejettent très peu de poussière dans l'atmosphère. Le tapis volant à 100 km/h est à 100 dirhams !

Une aubaine. Achetez mes tapis !

Mais on n'avait pas besoin de tapis. On a poursuivi notre chemin entre les étals. On est passés devant le marchand de lampes magiques.

— Achetez mes lampes magiques, les meilleures lampes magiques. Avec cette lampe magique « Aladin », vous pourrez faire apparaître tous les personnages de Walt Disney que vous voulez... Achetez mes lampes magiques !

Comme je me promenais déjà à côté du père Noël, je n'avais pas besoin d'une lampe magique « Aladin » !

On a poursuivi notre chemin. Les clémentines du Maroc étaient en solde. Les dattes et les figues aussi. Mais c'était le marchand de sable magique qu'on cherchait !

Le dromadaire au nez rouge

Le père Noël s'est arrêté au concession-
naire de dromadaires. Il a demandé au ven-

deur s'il savait où était installé le marchand de sable du Sahara.

— Juste à côté de l'agence de voyages Touareg, a répondu celui-ci. Mais oubliez le marchand de sable, achetez plutôt un beau dromadaire de race Drolkswagen. On offre un rabais aux douze premiers acheteurs de la journée. Vous êtes justement le douzième...

On n'est pas restés pour entendre la fin de son boniment. On a filé vers l'agence de voyages.

Lorsqu'on est enfin arrivés devant l'étal du marchand de sable du Sahara, ça disait :

ABSENT POUR LA JOURNÉE.
PARTI AU CONGRÈS MONDIAL DES MARCHANDS DE SABLE. DE RETOUR SAMEDI. EN CAS D'URGENCE, VOIR À L'OASIS DES MILLE PALMIERS.

— Ah ! Ce n'est vraiment pas de chance... J'ai tellement de choses à faire en ce moment pour préparer la fête de Noël. Je ne peux pas attendre qu'il revienne, a dit le père Noël, un peu découragé.

Youssef a suggéré qu'on se rende à l'oasis. On a pensé que c'était une bonne idée.

En retournant sur nos pas dans le souk, Youssef a aperçu un garçon de son âge qui tenait un renard dans ses bras. Il s'est arrêté pour lui parler :

— Il est beau, ton renard.

— Merci, a répondu le garçon aux cheveux blonds comme les blés.

— Moi aussi, j'ai un renard à la maison, a dit Youssef.

Ça nous a surpris, le père Noël et moi. On en savait si peu sur Youssef.

— Que fais-tu ici ? a demandé le garçon. Tu cherches des amis ?

Youssef a souri.

— Non ! On sait bien que les marchands d'amis, ça n'existe pas...

Le garçon lui a retourné son sourire.

— Où habites-tu ? a-t-il encore demandé.

— À cinq kilomètres du puits du Palmier Solitaire. C'est facile à reconnaître. Mon père est berger. Il y a plein de moutons autour de notre maison.

— J'irai te voir, a dit encore le garçon. Nos renards joueront ensemble. Et nous aussi.

— On sera des amis.

— Oui, on deviendra des amis, a conclu le garçon.

Le père Noël et moi, on s'est dévisagés, impressionnés. Comme il était facile de devenir des amis quand on regardait avec les yeux du cœur.

Chapitre 5

Zzzzzz...

Lorsqu'on a retrouvé nos rennes, ils semblaient en pleine forme. Et le renne malade boitait beaucoup moins. Le dromadaire a quand même repris sa place à l'avant, afin de lui offrir encore un peu de repos. Le père Noël s'est empressé de vérifier si la caisse était toujours sous son manteau. Par chance, elle s'y trouvait. Personne n'y avait touché. Youssef et moi, on se demandait bien ce qu'elle contenait. Toutefois, le père Noël ne semblait pas intéressé à nous le dire…

Les oasis n'étaient pas répertoriées dans le GPS intégré au traîneau du père Noël.

— Comment savoir où se trouve cette oasis des Mille Palmiers ? ai-je demandé. On ne peut quand même pas compter les palmiers de toutes les oasis que l'on survole.

Youssef a ri.

— La vaste oasis que je connais est au bout du grand oued. Suivons-le !

J'ai fait décoller le traîneau. Et j'ai suivi le lit desséché de la rivière. Il paraît que lors des averses, l'oued devient un redoutable torrent.

On a survolé des caravanes de dromadaires menées par des hommes habillés de bleu qu'on appelle des Touaregs. Je trouvais ça super exotique. Mais on n'avait pas le temps de s'arrêter. Nous sommes passés au-dessus de champs entourés de haies de cactus plus hauts que moi.

— Ça, ai-je mentionné au père Noël, ça change des haies de cèdres !

Puis on s'est approchés d'une oasis importante. Au loin, on pouvait deviner la beauté et la majesté de ses palmiers. Des dizaines de charrettes, de tapis volants et de droma-

daires chargés de sacs étaient stationnés à la porte de l'oasis.

— C'est celle-là ! a affirmé le père Noël. Ce sont les véhicules des marchands de sable.

Lorsque nous avons débarqué, le renne malade ne boitait plus. On était contents. Le père Noël a pris la précieuse caisse dans ses mains.

Le dromadaire au nez rouge

On s'est dirigés vers le centre de l'oasis.
C'est là que se trouvait le Palais des Congrès.
Dans l'oasis, tout le monde dormait partout :

sur les chaises des cafés, près des palmiers, sur les ânes. Le boucher s'était même endormi avec un poulet à la main.

— Pas de doute, on est au bon endroit, a dit le père Noël.

Ça faisait tout de même bizarre. On s'est rendus jusqu'au Palais. Sur une porte, une affiche annonçait : CONGRÈS MONDIAL DES MARCHANDS DE SABLE. ENTREZ SANS FAIRE DE BRUIT.

— On l'a trouvé ! a déclaré le père Noël d'un ton triomphant.

J'ai ouvert la porte. On est entrés dans la pièce tous les trois en même temps. Déception !

Tous les marchands de sable, sans exception, étaient endormis. Ça ronflait, ça rêvait, ça tournait, ça se retournait pour trouver une position plus confortable… Pas un seul œil ouvert parmi tous les participants. Même le présentateur était endormi, la tête sur le lutrin.

— Que se passe-t-il ? ai-je chuchoté.

— Il y en a un qui a dû échapper du sable ou qui a voulu jouer un tour à ses amis, a répondu le père Noël.

— On les réveille ? a suggéré Youssef.

— Surtout pas ! Une année, j'ai réveillé le marchand de sable afin de ne pas perdre de temps, mais ça l'a mis de si mauvaise humeur qu'il m'a vendu son sable trois fois plus cher.

On a reculé en silence, on est sortis du palais et on s'est installés près du puits. Le père Noël s'est appuyé sur sa caisse. Il commençait à s'inquiéter. Il se demandait s'il allait avoir assez de temps pour tout préparer. Il avait vraiment beaucoup de choses à faire avant le Grand Soir. Je lui ai demandé si le sable était vraiment important. Il m'a répondu que s'il fallait qu'il attende que chaque enfant s'endorme par lui-même avant de placer ses cadeaux sous le sapin, il n'aurait jamais le temps de visiter tous les enfants en une nuit. Plusieurs enfants ne recevraient donc pas leurs cadeaux.

— Ouais, ai-je dit. Le sable est vraiment obligatoire…

On avait soif. Le père Noël voulait un chocolat chaud. Youssef a ri. Un chocolat chaud, dans le désert, il trouvait ça drôle. On a plutôt choisi des chocolats glacés dans le réfrigérateur du petit restaurant. La serveuse s'était endormie sur sa caisse enregistreuse. On a donc déposé l'argent sur le comptoir.

Là, on ne pouvait vraiment plus rien faire. Les rennes allaient bien. On avait trouvé le marchand de sable, il fallait simplement attendre qu'il se réveille. On a donc discuté tous les trois. Le chocolat glacé était délicieux ! On en a pris un autre.

Le père Noël et moi, on voulait en savoir plus sur la vie de Youssef.

— J'ai deux grands frères et trois petites
sœurs. Je vais à l'école depuis un an. Ça me
prend une heure pour m'y rendre le matin, à
pied. Et une heure pour en revenir. Parce que
c'est une longue marche, mes parents n'ont
pas voulu que j'aille à l'école avant d'avoir
neuf ans. J'adore aller à l'école. À la maison,
je m'ennuyais. Il n'y avait rien à faire. Mainte-

nant, durant la journée, je joue avec des amis et j'apprends à lire, à écrire et à compter.

Youssef a fait une pause, pensif, avant d'ajouter :

— Un jour, en revenant de l'école, une tempête de sable s'est levée et je me suis perdu dans le désert. C'est mon père qui a réussi à me retrouver. Après ça, mes parents ne voulaient plus que j'aille à l'école. Catastrophe !

Le père Noël savait maintenant ce que c'était, une tempête de sable ! C'est là-dedans qu'il avait été pris avec ses rennes, juste avant de s'écraser. Youssef a poursuivi :

— Mais je leur ai promis d'être très prudent et de ne plus marcher au hasard lorsque je ne sais pas où je vais. Alors ils m'ont permis de retourner à l'école.

Youssef souriait de bonheur. On a aspiré notre chocolat glacé en faisant du bruit.

Youssef nous a encore raconté que le puits le plus proche de leur maison était à cinq kilomètres. Et qu'il devait aller y chercher de l'eau tous les jours. Cinq kilomètres, c'était très loin ! Presque trois heures de marche aller-retour, avec de l'eau à porter !

Mais on n'a pas pu lui poser plus de questions là-dessus, car tout le monde a commencé à se réveiller autour de nous. Ils étaient drôles à voir. Ils se demandaient ce qui s'était passé.

Chapitre 6

Négociations serrées

On s'est tout de suite dirigés vers le Palais. Le père Noël portait sa caisse sous son bras.

Les marchands de sable étaient bel et bien réveillés. Ça parlait fort dans la pièce !

Le père Noël n'était pas sitôt entré qu'un marchand de sable s'est approché de lui en vitesse. Il l'a serré dans ses bras.

— Mon ami ! Je t'attendais, hier matin, au souk. Tu n'es pas venu !

— Ah ! C'est que j'ai eu un accident. Mais enfin, nous nous retrouvons !

Le marchand de sable du Sahara a placé sa main sur l'intrigante caisse du père Noël et il a dit :

— Je vois que tu es prêt à marchander !

D'autres marchands de sable s'étaient approchés :

— Père Noël, vous devriez plutôt essayer mon sable ronfleur, c'est le meilleur.

— Non, non, pas de sable ronfleur, a répliqué le père Noël.

— J'ai de l'excellent sable somnambule, a crié un autre marchand. Le meilleur sable somnambule au monde.

— Ah non, surtout pas de sable somnambule aux enfants, a marmonné le père Noël.

On lui a offert du sable pour faire des rêves rigolos, du sable pour ne pas faire pipi au lit

et même du sable qui chante une berceuse pour endormir.

Mais le père Noël n'avait pas de temps à perdre avec tous ces marchands. Il s'est tourné vers le vrai marchand de sable du Sahara :

— J'en veux trois sacs, s'il te plaît.

Et c'est alors que le marchandage a commencé. Au Maroc, on ne peut rien acheter sans négocier le prix avec le vendeur. Parfois, ça prend beaucoup de temps avant de réussir à s'entendre sur un montant...

Le marchand de sable du Sahara a dit que ça coûterait trois caisses de cent morceaux. Le père Noël a répondu vingt-cinq morceaux. Le marchand de sable a rétorqué deux caisses de cent morceaux. Le père Noël a dit cinquante morceaux. Le marchand de sable a dit une caisse et cinquante morceaux. Le père Noël a dit soixante-quinze morceaux. Le marchand de sable a dit une caisse de cent morceaux et vingt-cinq morceaux. Le père Noël a dit une caisse de cent morceaux. Le marchand de sable a répété une caisse de cent morceaux.

Ils se sont serré la main. L'affaire était conclue. Le père Noël a remis sa caisse dans les bras du marchand et il a pris ses trois sacs de sable.

Tous les autres marchands de sable se sont tus. Ils paraissaient déçus.

— Ce n'est jamais nous qui en profitons. Ce n'est pas juste, a pleurniché le marchand de sable du désert de Gobi.

Le père Noël n'aime pas que les gens aient de la peine. Il a regardé le marchand de sable du Sahara et il a suggéré :

— Pourquoi ne partagerais-tu pas un peu, cette année ?

Youssef et moi, on ne savait toujours pas ce qu'il y avait dans la caisse. C'est le marchand de sable du Sahara qui a élucidé le mystère. Il s'est exclamé :

— Quoi ? Partager mes morceaux de sucre à la crème de la mère Noël ? C'est le meilleur sucre à la crème du monde entier. Pas question.

Du sucre à la crème ? C'était du sucre à la crème !

Le père Noël a mis sa main sur l'épaule du marchand de sable du Sahara :

— Donner, c'est encore plus amusant que recevoir, tu devrais essayer...

Lorsqu'on est repartis vers le traîneau, tous les marchands avaient reçu un morceau de sucre à la crème de la part du marchand de sable du Sahara. Ils riaient. Ils blaguaient. Ils se tapaient sur l'épaule en signe d'amitié. Tous avaient l'air heureux.

Chapitre 7

Rouge comme...

Dès qu'ils nous ont vu nous approcher, les huit rennes ont repris leur position dans l'attelage. Le dromadaire qui nous avait aidés était un peu triste. Rudolf a touché le bout de son nez pour le consoler.

On a grimpé dans le traîneau. Le père Noël a repris sa place aux commandes.

— Je vous ramène, a-t-il lancé d'une voix enthousiaste.

Alors que nous décollions, on a regardé notre ami dromadaire. Son nez était devenu... rouge. Rouge comme celui de Rudolf ! Youssef et moi, on a ri ! Un dromadaire au nez rouge, c'était unique !

Lorsqu'on a déposé Youssef chez lui, le père Noël lui a demandé ce qu'il aimerait recevoir en cadeau. Youssef a répondu :

— Ce dont j'ai le plus besoin, c'est de l'eau... Un puits près de chez moi, ce serait chouette.

Le père Noël était bien embêté. Il nous a expliqué qu'il ne pouvait pas livrer un puits, qu'il lui fallait le construire… Et que cela lui prendrait du temps. Or, le père Noël était déjà en retard dans sa liste de choses à faire.

C'est alors que je leur ai proposé :

— Père Noël, je vais m'en occuper. Je ne peux pas rester ici moi non plus, mais lorsque je serai de retour à la maison, je ferai une

collecte, j'amasserai de l'argent pour aider Youssef et sa famille. Il y a des organismes qui travaillent justement sur des projets permettant à des familles comme celle de Youssef d'avoir accès à de l'eau potable.

Le père Noël était ravi. Youssef aussi. On s'est dit au revoir là-dessus.

Puis, le père Noël est venu me déposer exactement là où nous nous étions rencontrés. Il m'a remerciée. Je lui ai dit que j'avais été heureuse de le rencontrer pour de vrai.

Le dromadaire au nez rouge

Quand je suis revenue, Annie était assise près du camion. Elle venait de terminer sa bouteille d'eau. J'étais un peu mêlée. Je lui ai demandé :

— Euh... Quelle heure est-il ?

Annie m'a regardée d'un air surpris et elle m'a répondu :

— Ben, il est cinq minutes plus tard que tout à l'heure, voyons ! Tu devrais boire plus d'eau. Tu dois être déshydratée !

Je n'ai pas osé lui dire que j'avais bu du chocolat glacé tout l'après-midi. Je n'ai pas osé non plus lui dire ce qui s'était passé.

Quelques instants plus tard, le mécanicien est arrivé. Il a sorti notre 4x4 du sable en nous tirant avec son treuil. Trente minutes plus tard, on avait franchi les dunes et on était de retour sur une piste de petites roches.

Et c'est alors que j'ai réalisé que je n'avais plus mon carnet. J'avais dû le laisser… hum… dans le traîneau…

En revenant au bivouac, ce soir-là, je me suis dit que j'avais dû m'endormir au soleil et rêver. Que j'avais dû plutôt oublier mon carnet et mon crayon dans les dunes. Bref, que je devais oublier tout ça ! Vous devinez bien que je me suis dit que je ne raconterai jamais ça à personne, qu'on allait me trouver folle ou tombée sur la tête. Sauf que. Sauf qu'il y a quelques jours, alors que j'étais revenue au pays, on a sonné à ma porte…

Chapitre 9

Le puits de l'amitié

J'ai ouvert la porte.

C'était un lutin. Le camion qui était stationné devant la porte était peint comme une canne de bonbon. Dessus, il était écrit : MESSAGERIE DU PÔLE NORD.

Le lutin m'a tendu une enveloppe :

— C'est pour vous, de la part de vous savez qui.

Pour moi ? De vous savez qui ?

Le lutin est reparti.
J'ai ouvert l'enveloppe.
Dedans, il y avait mon carnet, mon crayon et… une lettre.

Chère amie Fée des Mots,

Merci pour ton aide dans le désert du Sahara. J'ai fait un bon retour, sans aucun problème. J'espère que ton rallye s'est bien terminé.

Je devine que tu as raconté notre belle histoire à tout le monde. C'est une histoire remplie d'entraide, d'amitié et de partage.

Youssef sera tellement heureux d'avoir un puits près de chez lui. Merci d'avoir pris ce projet en main.

Quand on s'entraide, la vie est tellement plus magique !

Amitiés,
Père Noël
HO X HO X HO

Je me suis dit que je devais absolument faire quelque chose. Que je ne pouvais pas faire comme si cette histoire n'était jamais arrivée. C'est pour cela que j'ai tenu à vous la raconter. Parce que j'ai décidé qu'une partie des profits de la vente de ce livre servirait à offrir de l'eau potable à une famille dans le désert...

Ainsi, j'aurai tenu ma parole. Et vous et moi, nous aurons le sentiment d'avoir aidé le père Noël.

Qui sait, avec un peu de chance, peut-être que ce ne sera pas seulement pour une famille, mais pour tout un village !

Katia Canciani

C'était le 10 octobre 2012, j'en étais à mon premier jour dans le désert du Sahara, premier jour du fameux rallye Rose-des-Sables… Or, peu après avoir pris le départ, me voilà, avec ma coéquipière, enlisée dans le sable d'une dune. C'est ce jour-là que j'ai appris que pelleter de la neige, c'était tellement mieux que de pelleter du sable ! Premièrement, parce que la neige, c'est moins lourd; et, deuxièmement, parce que la neige ne s'obstine pas à revenir à sa place lorsqu'on la rejette vers l'arrière.

Ah ! Du sable, j'en ai pelleté ce jour-là et les dix suivants ! Sauf que, cette journée-là, exténuée et en sueur, j'ai aussi aperçu mes premiers dromadaires sauvages à l'horizon. Et j'en ai été tellement émue que j'en ai alors oublié nos ennuis. En fait, incapables d'avancer de plus de quelques mètres à la fois à cause du sable devenu trop mou sous le soleil cuisant, nous avons dû appeler les secours. C'est alors que nous avons pris une pause, chacune de notre côté… Et c'est alors que cette histoire a commencé.

Leanne Franson

 Je ne suis jamais allée au Maroc. Je n'ai jamais piloté le traîneau du père Noël. Je n'ai jamais caressé un dromadaire, mais j'ai adoré partir en voyage grâce à cette unique et magnifique histoire de Katia Canciani.

Ce fut un très grand plaisir pour moi de dessiner les dunes et les souks d'Afrique... et d'imaginer des scènes de Noël en plein désert !

Je tiens à vous dire aussi que je suis très fière de mon fils Tao Tao qui a recueilli des fonds pour aider les enfants du monde a avoir accès à l'eau potable. En effet, lors son dernier anniversaire au lieu de demander plus et encore plus de jouets (il en a tant !), il a amassé des sous pour une fondation. Nous pouvons tous faire comme lui. Si les dromadaires de cette histoire peuvent aider, nous aussi nous le pouvons !

GARANT DES FORÊTS
INTACTES

Ce livre a été imprimé sur du papier Sylva enviro
100 % recyclé, traité sans chlore, accrédité Éco-Logo
et fait à partir d'énergie biogaz.

Achevé d'imprimer
à Montmagny (Québec)
sur les presses de Marquis Imprimeur
en juillet 2014

MARQUIS